GOSCINNY ET UDERZO
PRÉSENTENT
UNE AVENTURE D'ASTÉRIX

ASTÉRIX ET LE CHAUDRON

Texte de **René GOSCINNY**   Dessins d'**Albert UDERZO**

H‖HACHETTE
HACHETTE LIVRE - 43, quai de Grenelle, 75905 Paris Cedex 15

AVEZ-VOUS TOUT LU ?

ÉGALEMENT ÉDITÉES PAR LES ÉDITIONS ALBERT RENÉ

LES AVENTURES D'ASTÉRIX LE GAULOIS

ALBUMS DE FILM

ASTÉRIX ET LA SURPRISE DE CÉSAR
LE COUP DU MENHIR
ASTÉRIX ET LES INDIENS

ALBUM ILLUSTRÉ

COMMENT OBÉLIX EST TOMBÉ DANS LA MARMITE DU DRUIDE QUAND IL ÉTAIT PETIT

DES MÊMES AUTEURS AUX ÉDITIONS ALBERT RENÉ

LES AVENTURES D'OUMPAH-PAH LE PEAU-ROUGE

OUMPAH-PAH LE PEAU-ROUGE
OUMPAH-PAH SUR LE SENTIER DE LA GUERRE / OUMPAH-PAH ET LES PIRATES
OUMPAH-PAH ET LA MISSION SECRÈTE / OUMPAH-PAH CONTRE FOIE-MALADE

LES AVENTURES DE JEHAN PISTOLET

JEHAN PISTOLET, CORSAIRE PRODIGIEUX
JEHAN PISTOLET, CORSAIRE DU ROY
JEHAN PISTOLET ET L'ESPION

À PARAÎTRE :

JEHAN PISTOLET, EN AMÉRIQUE / JEHAN PISTOLET ET LE SAVANT FOU

© 1970 GOSCINNY-UDERZO
© 1999 HACHETTE
Dépôt légal : 35513 - juin 2003 - Edition 08   ISBN 2-01-210013-9
Imprimé en France par *Pollina* - n° 90054
« Loi n° 49-956 du 16 juillet 1949 sur les publications destinées à la jeunesse. »

VILLAGE GAVLOIS

PETIBONVM

LAVDANVM

AQVARIVM

BABAORVM

ARMORIQVE

BELGIQVE

LVTECE

SPQR

GAVLE
(CONQVETE ROMAINE)
50 avant J.C.

CELTIQVE

AQVITAINE

PROVINCE
ROMAINE

NOUS SOMMES EN 50 AVANT JÉSUS-CHRIST. TOUTE LA GAULE EST OCCUPÉE PAR LES ROMAINS... TOUTE ? NON ! UN VILLAGE PEUPLÉ D'IRRÉDUCTIBLES GAULOIS RÉSISTE ENCORE ET TOUJOURS À L'ENVAHISSEUR. ET LA VIE N'EST PAS FACILE POUR LES GARNISONS DE LÉGIONNAIRES ROMAINS DES CAMPS RETRANCHÉS DE BABAORUM, AQUARIUM, LAUDANUM ET PETIBONUM...

ASTÉRIX, LE HÉROS DE CES AVENTURES. PETIT GUERRIER À L'ESPRIT MALIN, À L'INTELLIGENCE VIVE, TOUTES LES MISSIONS PÉRILLEUSES LUI SONT CONFIÉES SANS HÉSITATION. ASTÉRIX TIRE SA FORCE SURHUMAINE DE LA POTION MAGIQUE DU DRUIDE PANORAMIX...

OBÉLIX EST L'INSÉPARABLE AMI D'ASTÉRIX. LIVREUR DE MENHIRS DE SON ÉTAT, GRAND AMATEUR DE SANGLIERS ET DE BELLES BAGARRES. OBÉLIX EST PRÊT À TOUT ABANDONNER POUR SUIVRE ASTÉRIX DANS UNE NOUVELLE AVENTURE. IL EST ACCOMPAGNÉ PAR IDÉFIX, LE SEUL CHIEN ÉCOLOGISTE CONNU, QUI HURLE DE DÉSESPOIR QUAND ON ABAT UN ARBRE.

PANORAMIX, LE DRUIDE VÉNÉRABLE DU VILLAGE, CUEILLE LE GUI ET PRÉPARE DES POTIONS MAGIQUES. SA PLUS GRANDE RÉUSSITE EST LA POTION QUI DONNE UNE FORCE SURHUMAINE AU CONSOMMATEUR. MAIS PANORAMIX A D'AUTRES RECETTES EN RÉSERVE...

ASSURANCETOURIX, C'EST LE BARDE. LES OPINIONS SUR SON TALENT SONT PARTAGÉES : LUI, IL TROUVE QU'IL EST GÉNIAL, TOUS LES AUTRES PENSENT QU'IL EST INNOMMABLE. MAIS QUAND IL NE DIT RIEN, C'EST UN GAI COMPAGNON, FORT APPRÉCIÉ...

ABRARACOURCIX, ENFIN, EST LE CHEF DE LA TRIBU. MAJESTUEUX, COURAGEUX, OMBRAGEUX, LE VIEUX GUERRIER EST RESPECTÉ PAR SES HOMMES, CRAINT PAR SES ENNEMIS. ABRARACOURCIX NE CRAINT QU'UNE CHOSE : C'EST QUE LE CIEL LUI TOMBE SUR LA TÊTE, MAIS COMME IL LE DIT LUI-MÊME : "C'EST PAS DEMAIN LA VEILLE !"

LE CALME PRINTANIER D'UN PETIT VILLAGE QUE NOUS CONNAISSONS BIEN, EST TROUBLÉ PAR L'ANNONCE D'UNE VISITE OFFICIELLE...

AVEC TOUTES CES RÉPÉTITIONS, JE FINIRAI PAR NE PLUS SAVOIR CHANTER CONVENABLEMENT!

JE TE RÉPÈTE QUE NON, TU NE CHANTERAS PAS!

CHEF! CHEF! MORALÉLASTIX VIENT VOUS VOIR AVEC SA SUITE!

...ET AUSSITÔT LE CONSEIL EST RÉUNI.

MORALÉLASTIX? QUI EST-CE?

C'EST LE CHEF D'UNE TRIBU QUI A SON VILLAGE SUR LA FALAISE... JE NE L'AIME PAS BEAUCOUP; IL EST AVARE ET IL PACTISE VOLONTIERS AVEC LES ROMAINS POUR DES QUESTIONS D'INTÉRÊT...

MAIS C'EST UN CHEF GAULOIS! ET QUAND UN CHEF GAULOIS RENCONTRE UN CHEF GAULOIS, LE PROTOCOLE DOIT ÊTRE RESPECTÉ! QUE TOUT LE MONDE SE PRÉPARE À L'ACCUEILLIR!

PEU APRÈS!

BON! ALORS, DE LA TENUE, DE LA DIGNITÉ, DE LA MA--JESTÉ, LES ENFANTS!

LE VOILÀ, CHEF!

SALUT COLLÈGUE! FAIT CHAUD, HEIN? JE PRENDRAIS BIEN UNE PETITE CERVOISE.

?!?!...!

TU VIENS SEUL, COMME ÇA ?

MAIS NON, VOILÀ MA SUITE.

?

MAIS... C'EST UN CHAUDRON !

EH OUI. C'EST À CAUSE DE LUI QUE J'AI DÛ FAIRE LA ROUTE À PIED... CES BOU- CLIERS SONT SI PEU SPACIEUX !

QU'A-T-IL DE SI EXTRAORDINAIRE CE CHAUDRON POUR QUE TU LUI CÈDES TA PLACE ?

IL EST PLEIN DE SESTERCES PAR TOUTATIS !... TU VIENS ? J'AI À TE PARLER.

24

JULES CÉSAR A DE GROS ENNUIS D'ARGENT. POUR ÉQUIPER SES ARMÉES QUI DOIVENT PARTIR POUR DE NOUVELLES CONQUÊTES, IL S'EST SERVI DE L'ARGENT DES IMPÔTS QUI ÉTAIT DESTINÉ À PAYER LA SOLDE DE SES GARNISONS EN GAULE...

J'AI APPRIS QUE CÉSAR ALLAIT LEVER DE NOUVEAUX IMPÔTS. ALORS, J'AI MIS TOUT LE TRÉSOR DE MON PEUPLE DANS CE CHAUDRON, ET JE SUIS VENU LE METTRE À L'ABRI CHEZ VOUS... CAR JE CROIS QUE VOUS NE PAYEZ PAS D'IMPÔTS ?...

UN JOUR, UN COLLECTEUR D'IMPÔTS EST VENU... DEPUIS, NOUS SOMMES DISPENSÉS D'IMPÔTS !

AH OUI !... JE M'EN SOUVIENS... HI, HI, HI !...

QU'EST-CE QU'ON A RIGOLÉ CE JOUR-LÀ ! TU TE RAPPELLES QUAND...

ASSEZ ! ASSEZ ! HOHOHO !

ET IL N'EST JAMAIS REVENU ?

JAMAIS ! DONC, PAS DE REVENU, PAS D'IMPÔTS !

2B

QUAND J'AI SU LES INTENTIONS DES ROMAINS, JE N'AI PAS HÉSITÉ! J'AI PRIS LE PREMIER RÉCIPIENT VENU, J'AI JETÉ LA SOUPE À L'OIGNON QUI MIJOTAIT DEDANS, ET J'Y AI MIS TOUS MES SESTERCES.

ET JE SUIS VENU LE METTRE À L'ABRI, LÀ OÙ LES ROMAINS N'OSE- RONT PAS VENIR LE CHERCHER!

MAIS TU AURAIS PU LE CACHER CET ARGENT, L'ENTERRER?...

NON! LES ROMAINS FONT DES FOUILLES... IL Y A TELLEMENT D'IMPÔTS ENTERRÉS, QU'ON TROUVERA ENCORE DES MONNAIES PENDANT DES SIÈCLES, PROBABLEMENT!

C'EST TRÈS BIEN D'EMPÊCHER LES ROMAINS D'AVOIR CET ARGENT...

N'EST-CE PAS?

... MAIS JE TE CROYAIS AU MIEUX AVEC EUX... D'AUTANT PLUS QUE LES ROMAINS FAVORI- SENT CEUX QUI PAYENT RÉGULIÈRE- MENT L'IMPÔT.

COMMENT?

TU N'AS PAS LE DROIT DE DOUTER DE MON PATRIOTISME! JE TRAFIQUE AVEC LES ROMAINS, SOIT...

...MAIS JE LEUR AI TOUJOURS FAIT PAYER LE DOUBLE DU PRIX QUE J'AURAIS DEMANDÉ AUX GAULOIS!

C'EST TRÈS BIEN!

TRÈS BIEN!

ET TU VENDS BEAUCOUP AUX GAULOIS?

NON... LES ROMAINS M'ACHÈTENT TOUT CE QUE J'AI À VENDRE!

SOIT! NOUS GARDERONS TON CHAUDRON JUSQU'APRÈS LE PASSAGE DU COLLECTEUR D'IMPÔTS.

JE LE CONFIE À LA GARDE DE MON GUERRIER LE PLUS SÛR: ASTÉRIX!

JE VAIS METTRE LE CHAUDRON DANS MA HUTTE.

C'EST BÊTE DE JETER DE LA BONNE SOUPE À L'OIGNON POUR LA REMPLACER PAR DES SESTERCES !

MAIS OBÉLIX, AVEC DES SESTERCES ON PEUT ACHETER DE LA SOUPE À L'OIGNON !

BEN JUSTEMENT ! CE N'ÉTAIT PAS LA PEINE DE JETER LA SOUPE À L'OIGNON QUI ÉTAIT DÉJÀ DANS LE CHAUDRON !

JE VAIS MONTER LA GARDE TOUTE LA NUIT.

EUH... IL Y A UN BANQUET ORGANISÉ EN L'HONNEUR DE MORALÉLASTIX ET JE N'AIME PAS PRIVER IDÉFIX DE...

VAS-Y, MON BON OBÉLIX.

JE T'APPORTERAI QUELQUE CHOSE À MANGER !

OUAH ! OUAH !

PEU APRÈS...

MIAM ! SCROTCH ! GLOUP !

PAR TOUTATIS ! TU MANGES BIEN, TOI !

MANGER ?... GLOUP !... MANGER ! JÉ N'Y PENSAIS PLUS ! IL FAUT QUE J'APPORTE À MANGER À ASTÉRIX !

LAISSE ! JE M'EN OCCUPE ! J'AI ENCORE DES RECOMMANDATIONS À LUI FAIRE.

JE VEUX BIEN... SCROUNTCH !... J'AI HORREUR DE M'INTERROMPRE ENTRE DEUX... MIAMM !... SANGLIERS !

NOUS AVONS UNE DETTE D'HONNEUR, ASTÉRIX: MORALÉLASTIX NOUS A CONFIÉ UN CHAUDRON ET DES SESTERCES...

RENDONS-LUI LE CHAUDRON! LA MOITIÉ DE LA DETTE SERA REMBOURSÉE, ET...

SILENCE OU JE FAIS ÉVACUER LE VILLAGE !!!

BANG! BANG! BANG!

TU AVAIS LA CHARGE DE GARDER CE CHAUDRON ET TU AS FAILLI À TA MISSION. À CAUSE DE TOI, LE VILLAGE EST DÉSHONORÉ. TU CONNAIS NOS LOIS, ELLES SONT STRICTES....

BIEN QUE CELA NOUS REMPLISSE DE TRISTESSE, TU SERAS BANNI DU VILLAGE; TU N'AURAS LE DROIT D'Y RE-TOURNER QUE SI TU RÉPARES TA FAUTE!

JE REVIENDRAI AVEC CE CHAUDRON PLEIN DE SESTERCES, OU JE NE REVIENDRAI PAS!

TU AS BIEN PARLÉ, PAR TOUTATIS. REVIENS AVEC TON CHAUDRON OU DANS TON CHAUDRON!

TU CONNAIS LES POUVOIRS MAGIQUES DE CETTE POTION QUI TE DONNERA UNE FORCE INVINCIBLE! VA, MON ENFANT! ET FAIS-EN BON USAGE!

MERCI, Ô DRUIDE.

PONNN!

MAIS IL S'EN VA! ASTÉRIX S'EN VA !!!

LAISSE-LE, OBÉLIX. IL EST BANNI, MAIS IL REVIENDRA PEUT-ÊTRE.

ÇA VA PAS, NON? LAISSER PARTIR ASTÉRIX TOUT SEUL? COMMENT VOULEZ-VOUS QU'IL S'EN TIRE SI IDÉFIX ET MOI NOUS NE SOMMES PAS LÀ POUR LE CONSEILLER?

TOC! TOC! TOC!

11

PEU APRÈS...

MORALÉLASTIX M'A DIT QU'IL AVAIT ÉTÉ SUIVI PAR DES ROMAINS...CE SONT PEUT-ÊTRE EUX QUI ONT VOLÉ L'ARGENT.

NOUS NE SOMMES PAS LOIN DE PETIBONUM; ALLONS LEUR DEMANDER...

L'ENTRÉE DE PETIBONUM, CAMP FORTIFIÉ ROMAIN.

HALTE ! QUO VADIS? ON NE P...

SCHKONNK!

OÙ POURRIONS-NOUS NOUS RENSEIGNER ?

CE DOIT ÊTRE LA TENTE DE LEUR CHEF, LÀ-BAS.

DES GAULOIS? QUI VOUS A PERMIS D'ENTRER ICI ?

LE CHAUDRON.

QUEL CHAUDRON?

CE CHAUDRON-CI ! C'EST POUR LE REMPLIR QUE NOUS SOMMES ICI !

POUR LE REMPLIR DE QUOI ?

JE N'AI PAS TRÈS BIEN COMPRIS MOI-MÊME, MAIS ASTÉRIX POURRA VOUS EXPLIQUER.

POUR LE REMPLIR AVEC L'ARGENT QUI NOUS APPARTIENT ! L'ARGENT! COMPRE-NEZ-VOUS ? L'ARGENT! L'ARGENT!

L'ARGENT?

L'ARGENT!

LA SOLDE EST ARRIVÉE !

CE N'EST PAS TROP TÔT !

L'ARGENT! L'ARGENT!

14

VIENS OBÉLIX, JE CROIS QUE NOUS NOUS SOMMES TROMPÉS; IL N'Y A PAS ICI DE QUOI REMPLIR NOTRE CHAUDRON!

ILS SONT VRAIMENT FOUS, CES ROMAINS!

TOC! TOC! TOC!

PAF!

BANG!

BONG!

PIF!

DITES, QU'EST-CE QU'IL Y AVAIT DANS CE CHAUDRON?

DES SESTERCES.

PAF!

DES SESTERCES?

TING!

ATTENDEZ-MOI! JE VEUX MA PART!

11A

OH! REGARDE, ASTÉRIX! UNE NOUVELLE AUBERGE!

EH BIEN ALLONS MANGER UN MORCEAU; ÇA NOUS REPOSERA.

CLIENTS À T'IBO'D!

LE PIRATE ÉCHOUÉ

ENFIN! DEPUIS QUE CES GAULOIS NOUS ONT MIS SUR LE SABLE, LES SEULS CLIENTS QUE NOUS AVONS EUS, CE SONT DES LÉGIONNAIRES SANS SOLDE QUI BOIVENT À CRÉDIT!

UBI SOLITUDINEM FACIUNT, PACEM APPELLANT.

PAS LE TEMPS DE DIRE DES BÊTISES! TOUT LE MONDE SUR LE PONT!

JE VAIS P'EPA'E' DES G"ILLADES, DES 'OTIS ET DES TA'TES AUX P'UNES!

CUISINE

ENTREZ, NOBLES CLIENTS!

JE P'ENDS LES PETITS SANGLIE'S OU LES G'OS?

?!!?

LES GAU... LES GAU...

LÈS G'OS? ÇA MA'CHE!

LES GAULOIS!

VOICI LA SOLUTION DU PROBLÈME! ILS ONT DÉBARQUÉ POUR VOLER L'ARGENT!

QU... QUEL ARGENT?

GLOUGLOUGLOU!

TCHRAC!

PAF!

À MOIiiiiiiiiiii...

FOUILLONS PARTOUT!

OH OUI!

TU VOIS, JE LES AIME MIEUX SUR LA MER; ILS SONT PLUS DANS LEUR ÉLÉMENT. ICI, JE LES TROUVE DÉPAYSÉS, MAL À LEUR AISE...

BONG!

VA CHERCHER DANS LA CUISINE!

TCHRAAC!

NOON! IL N'Y A QUE DE LA PU'ÉE DE MA''ONS ICI!

NOUS N'AVONS RIEN TROUVÉ ET NOUS N'AVONS MÊME PAS MANGÉ!

ON AURAIT PU EMPORTER DE LA PURÉE DE MARRONS DANS LE CHAUDRON.

CE N'EST PAS ENCORE LA SAISON DES MARRONS.

?!?!?

J'Y RETOURNE! QUELQU'UN M'A TROMPÉ!

MAIS NON, VIENS!

IL SEMBLE, POURTANT, QUE LA SAISON DES MARRONS AIT ÉTÉ PRÉCOCE, CETTE ANNÉE...

ILS SONT PA'TIS? PA'CE QU'ICI, ÇA COMMENCE À CHAUFFER!

CUISINE

LA VIE À TERRE NE NOUS MET PAS À L'ABRI DES GRAINS! ALLEZ, GARÇONS, ON REMBARQUE!

JE NE CROIS PAS QUE NOUS RETROUVERONS LES VOLEURS DE SESTERCES... IL FAUDRA TROUVER AUTRE CHOSE...

IL FAUDRA LE GAGNER, CET ARGENT.

GAGNER DE L'ARGENT? MAIS NOUS N'AVONS JAMAIS FAIT ÇA!

EH BIEN, IL FAUDRA COMMENCER... MAIS COMMENT?...

SI ON RACONTAIT NOS AVENTURES AUX GENS? PEUT-ÊTRE QU'ILS NOUS PAIERAIENT POUR LES ENTENDRE?

SNIF! SNIF!

JE NE M'Y CONNAIS PAS EN AFFAIRES, MAIS JE PEUX TE DIRE QUE ÇA, ÇA NE RAPPORTERA JAMAIS D'ARGENT!

POURTANT, ON APPELLERAIT ÇA: "LES AVENTURES D'OBÉLIX LE GAULOIS" ET...

AH, TAIS-TOI...

VOYONS: QUE SAVONS-NOUS FAIRE?

JE SAIS LIVRER DES MENHIRS, DRESSER LES CHIENS, CHASSER LES SANGLIERS, PÊCHER, MANGER, BOIRE, DANSER, DONNER DES BAFFES AUX ROMAINS...

BONG! BONG! BONG!

REGARDE! LÀ, SUR LA ROUTE!

QUI ÊTES-VOUS?

NOUS SOMMES DES MARCHANDS; NOUS ALLONS VENDRE NOS PRODUITS À LA FOIRE DE CONDATE, AU MARCHÉ.

ET ON GAGNE DE L'ARGENT, LÀ-BAS?

COMME VOUS Y ALLEZ! AVEC LA CRISE, AU PRIX OÙ SONT LES CHOSES... ENFIN, ON SE DÉBROUILLE, ON FAIT ALLER.

MAIS IL FAUT QUE JE VOUS QUITTE, SI JE VEUX AVOIR UN BON EMPLACEMENT, LÀ-BAS... EN AVANT, VOUS AUTRES! J'EN VOIS UNE QUI N'EST PAS AU PAS!

J'AI TROUVÉ LA FAÇON DE REMPLIR LE CHAUDRON! NOUS ALLONS VENDRE AU MARCHÉ!

VENDRE QUOI?

DES SANGLIERS! NOUS SAVONS CHASSER LE SANGLIER, NOUS VENDRONS DES SANGLIERS!

DIS, ÇA ME RAPPELLE QUE NOUS N'AVONS PAS ENCORE MANGÉ!

LES BEAUX, LES BEAUX, LES B...

COMBIEN, VOS SANGLIERS ?

?

COMBIEN ?... MAIS JE NE SAIS PAS, MOI... COMBIEN M'EN DONNEZ-VOUS ?

HMM...LAISSEZ-MOI VOIR LA MARCHANDISE...

ILS NE SONT PAS BIEN GROS.

AH ! QU'EST-CE QUE JE DISAIS ? ILS SONT TOUT PETITS !

OBÉLIX, TAIS-TOI !

MAIS LAISSEZ-LE PARLER, VOTRE COPAIN ! IL A RAISON ! ILS SONT MINABLES !...LES MIENS, PAR CONTRE...

OUI ! VOYEZ CHEZ LUI, LES BEAUX, LES BEAUX, LES BEAUX SANGLIEEEEEERS !

HMOUAIS...JE VOUS EN DONNE CINQ SESTERCES.

CINQ SESTER-CES PAR SANGLIER ?

EUH...NON, LA DOUZAINE... LA QUATORZAINE, JE VEUX DIRE ; VOUS AVEZ JUSTE LE COMPTE.

BON. D'ACCORD.

VOUS ALLEZ LUI VENDRE LA QUATORZAINE POUR CINQ SESTERCES ?

VOUS, MÊLEZ-VOUS DE CE QUI VOUS REGARDE !

JE LES EMPORTE COMME ÇA ; INUTILE DE LES ENVELOPPER.

IL LES EMPORTE TOUS !

POUR CINQ SESTERCES !!!

21

VOUS FAITES DÉGRINGOLER LES PRIX! C'EST DU VOL! C'EST UN CRIME! UNE QUATORZAINE DE BEAUX SANGLIERS COMME ÇA, POUR CINQ SESTERCES!

OH, ILS N'ÉTAIENT PAS SI BEAUX QUE ÇA... TOUT PETITS QU'ILS ÉTAIENT. JE DISAIS, JUSTEMENT À ASTÉRIX...

C'EST VOUS QUI OFFREZ LA QUATORZAINE DE SANGLIERS À CINQ SESTERCES?

?!

AH! VOUS VOYEZ? JE NE SAIS PAS CE QUI ME RETIENT DE...

?

TCHAC!

MOI.

BON. QUAND IL REVIENDRA, DITES-LUI DE ME RÉSERVER UNE GROSSE.

UNE GROSSE?

BEN OUI: QUATORZE QUATORZAINES.

CRÂAC!

HUMMF!

VOUS M'AVEZ RUINÉ! À CAUSE DE VOUS, JE VAIS ÊTRE OBLIGÉ DE VENDRE MA MAISON ET MES MENHIRS...

ALLONS, ALLONS, DU CALME... DE TOUTE FAÇON, NOUS N'AVONS PAS ENCORE MANGÉ. COMBIEN, VOS SANGLIERS?

CINQ SESTERCES CHACUN... PARCE QUE C'EST VOUS!

NE TE FATIGUE PAS ; IDÉFIX NE SERA JAMAIS UN CHIEN SAVANT.

PAS UN CHIEN SAVANT, IDÉFIX ? TU VAS VOIR ÇA ; JE LUI AI APPRIS :...

IDÉFIX ! DEUX PLUS DEUX, ÇA FAIT COMBIEN ?

OUAH ! OUAH ! OUAH !

AH ! TU VOIS ?

UN PEU PLUS LOIN...

PALAIS DES GLADIATEURS

BOM ! BOM !

UNE SPLENDIDE RÉCOMPENSE À QUI TIENDRA UNE REPRISE CONTRE N'IMPORTE LEQUEL DE MES GLADIATEURS !...

ALLONS MES AMIS ! QUI OSERA AFFRONTER MES GLADIATEURS ? N'AYEZ PAS PEUR ! LES COMBATS NE SONT PAS À MORT, SAUF ACCIDENT ! UNE SUPERBE RÉCOMPENSE !

VOILÀ COMMENT NOUS ALLONS REM- -PLIR LE CHAUDRON !

ÇA, C'EST UNE IDÉE ! QUI Y VA LE PREMIER ?

MOI ! MOI ! MOI !

ENFIN UN GAULOIS QUI N'A PEUR QUE D'UNE CHOSE, C'EST QUE LE CIEL LUI TOMBE SUR LA TÊTE... CE QUI RISQUE DE LUI ARRIVER, D'AILLEURS !

PALAIS DES

ALORS, MON GARÇON ? LEQUEL CHOISISSEZ-VOUS POUR LE MASSACRE ? LE VÉLITE ? LE RÉTIAIRE ? LE NUMIDE ? L'AUTRE LÀ-BAS AVEC LE CESTE ?

BEN... TOUS !

LAIS DES

HAHAHA ! ILS SONT FOUS CES GAULOIS !

20

24

ET VOICI LE PREMIER GLADIATEUR QUI ARRIVE!

TARATAR!!!

LES DES GLADIATEURS

HEUHEUHEU!

!?

DOIIIING!

EUH...BIEN...BRAVO... ALORS, JEUNE HOMME, VOUS AVEZ GAGNÉ UN SUPERBE OBJET D'ART, QUI...

AU SUIVANT! J'AI UN CHAU-DRON À REMPLIR, MOI!

TARATARIII...IIII

TCHRAC!

J'AU'AI DÙ ME FAI'E PI'ATE, COMME MON COUSIN GE'MAIN, CELUI QUI A 'ÉUSSI...

TARATARIII

CH'ONK!

SUIVANT!

ÇA DEVIENT MONOTONE...

OUAIS...

ALLEZ, VIENS, ON S'EN VA.

31

ALORS, AU SUIVANT QUOI! JE N'AI PAS QUE ÇA À FAIRE!

IL N'Y A PLUS DE SUIVANT!

VOUS AVEZ FINI MES HUIT GLADIATEURS. ILS VIENNENT D'AILLEURS DE DÉMISSIONNER; ILS PRÉFÈRENT RETOURNER COMBATTRE DANS LE CIRQUE...

...LE TRAIN-TRAIN HABITUEL: AVÉ CÉSAR, MORITURI TE SALUTANT, ET TOUT LE TREMBLEMENT.

BON. ALORS LA SUPERBE RÉCOMPENSE, S'IL VOUS PLAÎT.

!?

EH BEN!...IL FAUDRA ATTENDRE DES SIÈCLES POUR QUE CES OBJETS AIENT DE LA VALEUR!

ATTENDS-MOI; JE VAIS ESSAYER DE LES ÉCHANGER CONTRE DE L'ARGENT.

L'ÉTABLISSEMENT EST FERMÉ. JE N'AI PLUS DE GLADIATEURS.

ALORS, ENGAGEZ-MOI; J'AI UN CHAUDRON À REMPLIR.

DÉCIDÉMENT, IL DOIT S'AGIR D'UNE NOUVELLE COUTUME.

EH BIEN D'ACCORD! ÇA AMUSERA LE PUBLIC DE VOIR ASSOMMER UN GRIN-GALET COMME VOUS!

PEU APRÈS...

UNE SPLENDIDE RÉCOMPENSE À QUI TIENDRA UNE REPRISE CON-TRE CE NABOT AUX MOUS-TACHES JAUNES ET À L'ÂGE INDÉFINI!!!

MOI!

MOI!

JE L'AI VU LE PREMIER!

IL N'Y EN AURA PAS POUR TOUT LE MONDE!

LAISSEZ-LE MOI!

26

AU PREMIER DE CES MESSIEURS!

VEINARD! C'EST LUI QUI AURA LA RÉCOMPENSE!

AU SUIVANT!

PAFF!

ET LE SUIVANT SUIVIT...

CHLAC!

SUIVANT!

...SUIVI D'AUTRES SUIVANTS QUI SE SUIVIRENT...

SUIVANT!
SUIVANT!
SUIVANT!

TCHON TCHOC! PAF!

...JUSQU'AU DERNIER.

BON, JE CROIS QUE C'EST FINI. PAYEZ-MOI.

TCHAC!

ÇA VA PAS, NON? VOTRE GROS COPAIN A DÉMOLI TOUS MES GLADIATEURS; VOUS, VOUS AVEZ DÉMOLI TOUT LE PUBLIC; VOUS M'AVEZ RUINÉ ET VOUS VOULEZ QUE JE VOUS PAIE, EN PLUS?

TOC!
TOC! TOC!
TOC.

RENDEZ-MOI MES SUPERBES OBJETS D'ART!

QUEL GROS COPAIN?

RENDS-LUI LES STATUES, OBÉLIX.

23

27

C'EST QUOI, ÇA ?

UN THÉÂTRE MODERNE. LES ROMAINS EN CONS-TRUISENT PARTOUT, A ARAUSIO* ARELATE** VIENNA***

* ORANSE
** ARLES
*** VIENNE

VOUS ÊTES UN BARBARE, MÔSSIEU ! UN IGNARE !

J'AI JOUÉ À ROME, MOI, MÔSSIEU, DEVANT JULES CÉSAR LUI-MÊME !

J'AI ÉTÉ EN TOURNÉE À ALEXANDRIE ! LA REINE CLÉOPÂTRE M'A FAIT UN TRIOMPHE !

MOI, J'AI ÉTÉ APPLAUDI À MASSILIA !

VOTRE CONCEPTION DU THÉÂTRE EST ANTIQUE ! ARISTOPHANE, PLAUTE, TÉRENCE, C'EST FINI TOUT ÇA ! PLACE AU THÉÂTRE NEUF QUI A QUELQUE CHOSE À DIRE !

MOI, J'AI QUELQUE CHOSE À DIRE !!!

NE LUI FAIS PAS CET HONNEUR, MON CHER CAMARADE ! PARTONS !

NOUS VERRONS COMMENT CE JEUNE HOMME SE DÉBROUILLERA SANS NOUS !

JE VOUS REMPLACERAI PAR LES DEUX PREMIERS IMBÉCILES VENUS, ET JE GAGNERAI AU CHANGE !

HEP ! VOUS DEUX ! AVEZ-VOUS DÉJÀ FAIT DU THÉÂTRE ?

NOUS ? NON.

VOULEZ-VOUS EN FAIRE ?

C'EST BIEN PAYÉ ?

EN EFFET, VOUS N'AVEZ JAMAIS FAIT DE THÉÂTRE... PARFAIT. VOUS AP-PORTEREZ QUELQUE CHOSE DE NEUF, DE PAS TRAFIQUÉ. L'ESSEN-TIEL, C'EST D'AVOIR QUELQUE CHOSE À DIRE.

MOI, J'AI SURTOUT UN CHAUDRON À REMPLIR.

ADMIRABLE ! ÉTONNANT ! VOILÀ UNE RÉPLIQUE QUI VAL LOIN ! VENEZ AVEC MOI, VOUS ÊTES DOUÉS !

? ?

28

VOICI NOTRE THÉÂTRE, ET JE ME PRÉSENTE: ÉLÉONORADUS.

JE VEUX RENOUVELER L'ART DRAMATIQUE! NOUS AVONS UN MESSAGE! UNE MISSION! NOUS DEVONS CHOQUER NOTRE PUBLIC! LE SORTIR DE SA LÉTHARGIE! TOUT DOIT ÊTRE SPONTANÉ!

ET MAINTENANT, RÉPÉTONS! TOUT LE MONDE EN PLACE, SUR SES MARQUES!

???

25A

ORGIES! ORGIES! NOUS VOULONS DES ORGIES!

UN INSTANT! LE PUBLIC! OÙ EST LE PUBLIC INDIGNÉ? OÙ EST JULERAIMUS?...TU ES EN RETARD, MON COCO!

VOILÀ, VOILÀ!

BON. ON REPREND.

ORGIES! NOUS VOULONS DES...

TU AS OUBLIÉ UN "ORGIES", COCO!

PARDON!...ORGIES! ORGIES! NOUS VOULONS DES ORGIES!

ASSEZ! C'EST UNE HONTE! ON SE MOQUE DE NOUS!

C'EST BON, JULERAIMUS, C'EST BON...TU POURRAIS PEUT-ÊTRE JETER DES PROJECTILES SUR LUI.

AH NON! AH NON! ÇA FERAIT VULGAIRE!

25B

BIEN! VOUS DEUX, VOUS RESTEZ AU FOND DE LA SCÈNE PARFAITEMENT IMMOBILES...

...ET PUIS, JE TE MONTRERAI DU DOIGT, TOI, LE GROS...

IL S'APPELLE OBÉLIX.

QUI S'APPELLE OBÉLIX?

...À MON SIGNAL, TU T'AVANCES VERS LE DEVANT DE LA SCÈNE EN DANSANT, ET TU DIS QUELQUE CHOSE; N'IMPORTE QUOI!

N'IMPORTE QUOI?

OUI. CE SERA LA FIN DU SPECTACLE, LE CRI DE LA SPONTANÉITÉ. TU DIRAS CE QUI TE PASSERA PAR LA TÊTE!

MAIS IL Y A DES FOIS OÙ IL N'Y PASSE RIEN!

BON! À CE SOIR LES ENFANTS! FAUDRA SE DISTINGUER! FAUDRA DONNER AU PUBLIC CE QUE LE PUBLIC ATTEND: UN MESSAGE!

MAIS QU'EST-CE QUE JE VAIS DIRE? MAIS QU'EST-CE QUE JE VAIS DIRE?

BAH! ÇA N'A AUCUNE IMPORTANCE. L'ESSENTIEL, C'EST LE CHAUDRON.

ET LE MESSAGE? QU'EST-CE QUE TU FAIS DU MESSAGE?!

LE SOIR VENU, LE THÉÂTRE S'EMPLIT DU PUBLIC HABITUEL DES BRILLANTES PREMIÈRES: IL Y A LÀ LE PRÉFET ROMAIN, LES CHEFS DE LA GARNISON, LES FONCTIONNAIRES IMPORTANTS, BREF, LE TOUT CONDATE.

JE PENSE QUE VOUS ALLEZ PASSER UNE BONNE SOIRÉE Ô, PRÉFET.

IL PARAÎT QU'ILS SONT ODIEUX!

IGNOBLES! J'AI EU UN MAL FOU À AVOIR DES PLACES!

30

LA REPRÉSENTATION COMMENCE...

DING DONG!

VOUS ÊTES LAIDS! NOUS SOMMES TOUS LAIDS, MAIS MOINS QUE VOUS!

BEUH!

C'EST INSUPPORTABLE DE VÉRITÉ!...

ORGIES! ORGIES! NOUS VOULONS DES ORGIES!

ASSEZ! ASSEZ! C'EST UNE HONTE! ON SE MOQUE DU PUBLIC!

IL A RAISON! NON! SORTEZ-LE! ARRIÉRÉS! ANTIQUES!

C'EST À TOI! VAS-Y! MAIS VAS-Y!

JE... JE NE POURRAI JAMAIS!

PENSE AU CHAUDRON!

LE LENDEMAIN, TOUJOURS À CONDATE ET...

TOUJOURS PAS LE MOINDRE SESTERCE!

ET SI ON VENDAIT LE CHAUDRON?

CE N'EST PAS ÇA QUI LE REMPLIRA!

JAMAIS! JAMAIS JE NE POURRAI RETOURNER DANS NOTRE VILLAGE!

ALLONS, ALLONS, ASTÉRIX! JE SUIS SÛR QUE TOUTATIS NOUS AIDERA!

?!/?

TING! DONG! DING!

JE NE VEUX PAS VOIR DES GENS TRISTES QUAND JE SUIS SI GAI! JE VIENS DE GAGNER DES TAS D'ARGENT!

?!?!

DING! DING! DING! DING! DING!

29A

DITES! VOUS L'AVEZ GAGNÉ COMMENT, CET ARGENT?

AUX COURSES, MON AMI! AUX COURSES!

TING!

JE N'AVAIS QUE QUELQUES SESTERCES; J'AI MISÉ ET J'AI GAGNÉ!

ET ÇA SE PASSE OÙ, CES COURSES?

DANS L'HIPPODROME. SUIVEZ-MOI, J'Y RETOURNE POUR ARRONDIR MON MAGOT.

AH! TU VOIS ASTÉRIX?

C'EST LÀ. BON, JE VOUS QUITTE ET JE VOUS SOUHAITE BONNE CHANCE.

POUR UNE FOIS QUE NOUS AVONS UN PEU D'ARGENT, ÇA M'ENNUIE DE LE RISQUER!

MAIS IL N'Y A PAS DE RISQUES! TU MISES ET LE CHAUDRON EST REMPLI. C'EST CE QU'IL A DIT.

29B

TU SAIS COMMENT ON MISE, TOI?

JE PEUX VOUS AIDER, LES AMIS!

JE ME PRÉSENTE: DISTRIBUTIONDÉPRIX. JE SUIS UN EXPERT ET J'AI DES TUYAUX.

ET ON POURRAIT REMPLIR NOTRE CHAUDRON AVEC VOS TUYAUX?

BIEN SÛR. VOYEZ-VOUS, IL S'AGIT DE COURSES DE CHARS, À QUATRE CHEVAUX: DES QUADRIGES...VOUS POUVEZ JOUER LE TRIUMVIRAT...

...C'EST À DIRE LES TROIS PREMIERS QUADRIGES DANS L'ORDRE OU DANS LE DÉSORDRE, CE QUI CORRESPOND À DOUZE CHEVAUX...

?

MAIS LE MIEUX, C'EST DE JOUER LE CHAR GAGNANT: IL Y A LES BLEUS, LES BLANCS, LES ROUGES ET LES VERTS... APPROCHEZ...

?

DANS LA PROCHAINE COURSE, JOUEZ LES BLEUS. JE CONNAIS UN COUSIN PAR ALLIANCE DE L'AURIGE* IL NE PEUT PAS PERDRE.

*CONDUCTEUR.

30A

DONNEZ-MOI VOTRE ARGENT, JE MISERAI POUR VOUS...TOUT CE QUE JE DEMANDE, C'EST LA MOITIÉ DES GAINS.

VOUS ÊTES SÛR QU'IL NE PEUT PAS PERDRE?

IL EST IMPOSSIBLE QU'IL PERDE ...ENTREZ DANS L'HIPPODROME; ON SE RETROUVE À LA SORTIE.

30B

PAS DE CHANCE, LES AMIS. MAIS DANS LA PROCHAINE, L'AURIGE DU VERT, DONT LE NEVEU EST UN CAMARADE DE MON BEAUFRÈRE...

NOUS N'AVONS PLUS D'ARGENT! ET TU M'AVAIS DIT QU'IL ÉTAIT IMPOSSIBLE QUE LE BLEU PERDE!

IMPOSSIBLE N'EST PAS GAULOIS, LES AMIS!

!

(SOUPIR) (SOUPIR) (SOUPIR)

(SOUPIR)

VIENS, OBÉLIX. IL ME RESTE QUELQUES PIÈCES DE BRONZE. ALLONS MANGER UN MORCEAU.

PEU APRÈS...

JE VOUS CONSEILLE LE SANGLIER; IL EST TRÈS AVANTAGEUX EN CE MOMENT. IL A SUBI UNE BAISSE ON LE VEND QUINZE À LA QUATORZAINE MAINTENANT.

?

CREDIT LATIN

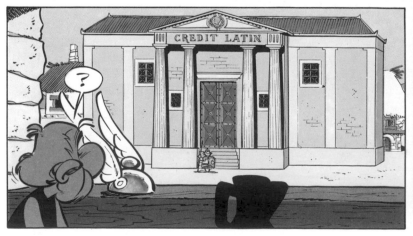

C'EST QUOI, ÇA? UN TEMPLE?

PRESQUE. C'EST UNE BANQUE ROMAINE. C'EST LÀ QU'ILS GARDENT LEUR OR.

TU SAIS CE QU'ON VA FAIRE ?

MANGER LES SANGLIERS ?

NON ! NOUS ALLONS ATTAQUER CETTE BANQUE ! LES ROMAINS VOLENT NOTRE ARGENT, CE N'EST PAS UN CRIME DE VOLER LES VOLEURS !

MAIS COMMENT FAIT-ON POUR ATTAQUER UNE BANQUE ?

J'AI UN PLAN... PATRON !

CLAC !

POUVEZ-VOUS NOUS LOUER UNE CHAMBRE AVEC VUE SUR LA BANQUE ?

AVEC VUE SUR LA BANQUE ?

SC... SCROTC... SCROTCH !

VOUS EN AVEZ AVEC VUE SUR LA MER ?

À CONDATE ? MAIS BIEN SÛR QUE NON !

ALORS, AVEC VUE SUR LA BANQUE.

C'EST LOGIQUE. SUIVEZ-MOI.

SCROUTCH !

PEU APRÈS...

TRÈS BIEN, JE VAIS ALLER FAIRE QUELQUES ACHATS. PENDANT CE TEMPS, TU VAS RÔDER AUTOUR DE LA BANQUE SANS EN AVOIR L'AIR ET TU VAS ESSAYER D'AVOIR DES RENSEIGNEMENTS SUR L'HEURE DE LA RELÈVE DE LA GARDE ET SUR L'ENDROIT OÙ SE TROUVE L'OR.

SCROTCH ! SCROTCH !

SROUNTCH ! SCROUNTCH !

SANS EN AVOIR L'AIR ? ET COMMENT JE FAIS POUR NE PAS EN AVOIR L'AIR ?

MAIS JE NE SAIS PAS MOI ! IL PARAÎT QUE TU ES DOUÉ POUR FAIRE DU THÉÂTRE... TU PASSES EN SIFFLOTANT L'AIR DE RIEN !

C'EST VRAI ; J'AVAIS OUBLIÉ QUE J'ÉTAIS DOUÉ... ALLONS-Y !...

ON SE RETROUVE DANS L'AUBERGE. SOIS PRUDENT.

HEP! TOI!

MOI?

OUI! TU M'AS BIEN L'AIR DE QUELQU'UN QUI SONGE À ATTAQUER LA BANQUE, MAIS NE TE FAIS PAS D'ILLUSIONS!

LA BANQUE EST TOUJOURS GARDÉE. LA RELÈVE SE FAIT À MIDI, À SIX HEURES ET À MINUIT. TOUTE LA NUIT, IL Y A DES GARDES DANS LA BANQUE...

L'OR EST DANS UNE CAVE PROTÉGÉE PAR UNE LOURDE PORTE EN FER, DONT LE SECRET SE TROUVE CACHÉ DANS UNE DES MOULURES DU BAS-RELIEF...

TOCTOCTOCTOC!

...ALORS, N'INSISTE PAS!

PEU APRÈS...

ÇA N'A PAS MARCHÉ. IL M'A DÉCOUVERT AVANT QUE JE PUISSE APPRENDRE QUELQUE CHOSE.

ÇA NE FAIT RIEN. DE CETTE FENÊTRE NOUS POURRONS SURVEILLER LES ALLÉES ET VENUES DES GARDES.

IL FAUDRA SE RELAYER POUR VEILLER... TOUT INSCRIRE AVEC LES HEURES...

ET, PENDANT DEUX JOURS ET DEUX NUITS...

...NOS AMIS SE RELAIENT.

BON, OBÉLIX! J'AI LES HEURES DE RELÈVE DE LA GARDE!

J'AI REMARQUÉ QUE VERS 11 HEURES DU MATIN, LE GARDE ABANDONNÉ SON POSTE POUR ALLER BOIRE DE L'EAU À LA FONTAINE...

ZZZOZZ

CE SERA LE MOMENT D'AGIR.

OAAAAOOOH!

REGARDE. J'AI DESSINÉ UN PLAN.

SCRATCH! SCRATCH!

CRITCH! CRITCH!

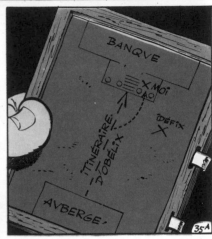

BANQVE

X MOI

ITINÉRAIRE D'OBÉLIX

'IDÉFIX X

AVBERGE'

35-A

IDÉFIX FERA LE GUET POUR NOUS PRÉVENIR SI LE GARDE REVIENT PLUS TÔT QUE PRÉVU... TOI, TU DÉFONCES LA PORTE...

!

...MOI, CACHÉ DERRIÈRE LA TROISIÈME COLONNE, JE BONDIS...

NOUS AURONS CINQ MINUTES POUR EXÉCUTER L'OPÉRATION AVANT LE RETOUR DU GARDE, PENDANT CE TEMPS, IL FAUDRA INTERROGER LES EMPLOYÉS ET TROUVER L'OR... TU AS COMPRIS?

NON.

ZZZ

BON. ALORS TANT PIS. ON FONCE DANS LE TAS, ON PREND L'OR ET ON S'EN VA.

ÇA J'AI COMPRIS!

TOIIIING!

GLOU! GLOU! GLOU! GLOU!

35-B

CETTE PORTE NE RÉSISTERA PAS À LA POTION MAGIQUE...

BANG!

OH!

32A

EH BIEN, QUE FAITES-VOUS LÀ ? SI C'EST POUR DÉPOSER DE L'ARGENT, IL FAUT PASSER PAR LE COMPTOIR, LÀ HAUT.

JE NE VIENS PAS POUR DÉPOSER, JE VIENS POUR PRENDRE.

AH, ÇA M'ÉTONNAIT, AUSSI !

MAIS MON PAUVRE AMI, NOUS N'AVONS PLUS D'ARGENT, PLUS UN AS ! C'EST POUR ÇA QUE CÉSAR LÈVE DES IMPÔTS... NOUS AVONS MERCITUR, MON VIEUX, ET JE NE SAIS PAS QUAND NOUS ALLONS FLUCTUAT DE NOUVEAU !

ALLONS, VIENS OBÉLIX !

ET CESSE DE SIFFLER !

OUAIS !

32B

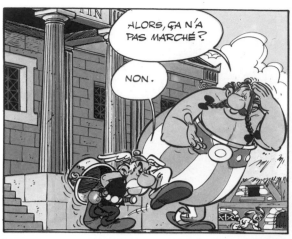

PLACE! PLACE AU COLLEC-TEUR D'IMPÔTS, ENVOYÉ SPÉCIAL DE JULES CÉSAR!

POURVU QU'IL Y AIT DE L'ARGENT DANS CE COFFRE!

BAH! ÇA NE COÛTE RIEN DE SE RENSEIGNER.

UN INSTANT, JE VOUS PRIE.

■ **EXPLIQUER :**

I - Les raisons de notre arrêt..............

II - Retrancher ces raisons..............

III - Poursuivre notre route..............

■ **ETES-VOUS :**

a) de simples passants ? .... ☐

b) animés de sentiments amicaux ?.... ☐

c) des bandits ?.......................... ☐

DONNEZ-NOUS VOTRE ARGENT, SI VOUS NE VOULEZ PAS DE BAFFES!

■ **ETES-VOUS :**

a) de simples passants ? .... ☐

b) animés de sentiments amicaux ?.... ☐☐

c) des bandits ?.......................... ☒

AVERTISSEMENT SANS FRAIS :

Ne touchez pas à nos personnes physiques. Toute réclamation doit être adressée à César, Jules, à Rome.

A L'ATTAQUE!

ENFIN! JE CROYAIS QU'ON N'EN FINIRAIT JAMAIS AVEC TOUTES CES FORMALITÉS!

GRAAG!

44

CES SESTERCES SENTENT LA SOUPE À L'OIGNON!

ET POURTANT, ILS VIENNENT DU COFFRE DU COLLECTEUR D'IMPÔTS ROMAIN!

ET SI CES SESTERCES ONT LA MÊME ODEUR QUE CEUX QUE TU M'AS CONFIÉS, C'EST QUE CE SONT **LES MÊMES!**

CETTE NUIT LÀ, QUAND TU ES VENU DANS NOTRE VILLAGE, TU M'AS ATTIRÉ À L'ÉCART POUR ME FAIRE DES RECOMMANDATIONS. ...ET, SUIVANT TES INSTRUCTIONS, TES HOMMES ONT VOLÉ CET ARGENT!

???

AVEC CET ARGENT, TU PAYAIS TES IMPÔTS, TU TE FAISAIS BIEN VOIR DES ROMAINS, ET TU SAVAIS QUE JE FERAIS L'IMPOSSIBLE POUR TE REMBOURSER!

?

EN SOMME, NOUS AURIONS PAYÉ TES IMPÔTS!

JE VOIS QUE TU AS COMPRIS...

42A

OUI, J'AI COMPRIS!

QUELQU'UN POURRAIT M'EXPLIQUER, ALORS?

À MOI MES HOMMES!

OCCUPE-TOI DES AUTRES!

BON, MAIS TU ME DIRAS APRÈS, HEIN?

42B

GRRR

J'ESPÈRE QU'ASTÉRIX M'EXPLIQUERA. EN GÉNÉRAL J'AIME BIEN SAVOIR POURQUOI NOUS COMBATTONS.

PAF!

OUAH! OUAH!

EH BIEN, IL SE TROMPE, MORALÉLASTIX! CAR LES SESTERCES NE SONT PAS PERDUS POUR TOUT LE MONDE... AU MOMENT OÙ LE CHAUDRON TOMBE, UN NAVIRE PIRATE LONGE LA FALAISE...

CHLONK!

MUTINERIE! QUI A OSÉ ME COIFFER D'UN CHAUDRON, CORNES D'AUROCH?!

ET POUR UNE FOIS, POUR UNE FOIS, LES PIRATES SONT CONTENTS!

ET ÇA SENT BON, EN PLUS!

DES SESTE'CES! NOUS SOMMES 'ICHES! C'EST DE L'O' EN BA''ES!

AUSSI CONTENTS QUE NOS AMIS, FÊTÉS PAR TOUT LE VILLAGE, QUI GRÂCE À EUX, A RETROUVÉ INTACT SON HONNEUR!

CE QUE JE N'AI TOUJOURS PAS COMPRIS, C'EST POURQUOI ON A MIS DE L'ARGENT À LA PLACE DE LA SOUPE, DANS CE CHAUDRON!

FIN

UDERZO & GOSCINNY

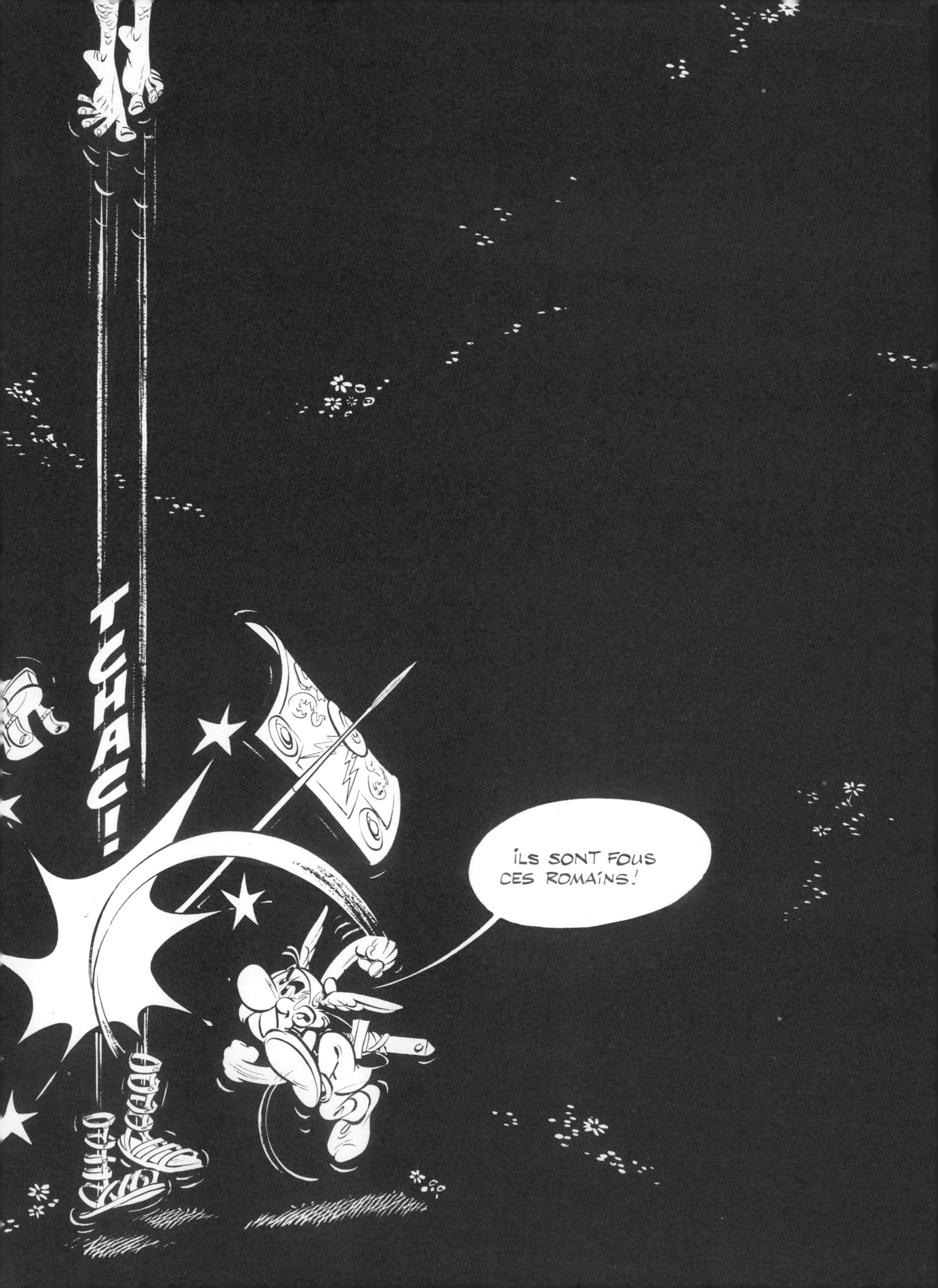
TCHAC!!
ILS SONT FOUS CES ROMAINS!